Violeta,

el hada violeta

A todas las personas que han experimentado
la magia de las hadas

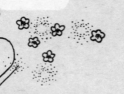

Un agradecimiento especial
a Sue Bentley

Originally published in English as
Rainbow Magic: Heather the Violet Fairy.

Translated by María Cristina Chang

ISBN 978-0-545-38496-4

12 11 10 9 8 7 6 5 4 3 2   11 12 13 14 15 16/0

Printed in the U.S.A.   40

First Spanish printing, September 2011

Violeta,
el hada
violeta

por Daisy Meadows
ilustrado por Georgie Ripper

SCHOLASTIC INC.
New York   Toronto   London   Auckland
Sydney   Mexico City   New Delhi   Hong Kong

Palacio del
Reino de las
Hadas

Laberinto

Bosque

Huerto

Olla

Prado

Torre

Playa

Zona de mareas

Isla Lluvia Mágica

Caraco

Palacio de hielo
de Jack Escarcha

casa de Tom
Bueno

Tiovivo

cabaña de la
Srta.
Alegre

Sauce
llorón

Río

Pradera

cabaña
a sirena

Pueblo

Bahía

cabaña El delfín

Que sople el viento, que haya hielo.
Creo una tormenta y no tengo miedo.
A las hadas del arco iris las he mandado
a las siete esquinas del mundo humano.

Miro el reino y yo solo me río
porque está gris y siempre habrá frío.
En todas sus esquinas y rincones,
el hielo quemará los corazones.

A Raquel y Cristina solo les hace falta
encontrar una de las hadas del Arco Iris.
Las hadas no podrán volver al
Reino de las Hadas sin

¡Violeta, el hada violeta!

Contenido

Mensaje en una cometa

—No puedo creer que este sea nuestro último día de vacaciones —dijo Raquel Walker mientras miraba su cometa volar en el resplandeciente cielo azul.

Cristina Tate también observaba la cometa violeta de Raquel, que se elevaba por encima del prado al lado de la cabaña La sirena.

—Y todavía tenemos que encontrar a Violeta, el hada violeta —le recordó a Raquel.

El malvado Jack Escarcha había hechizado a las hadas del arco iris y las había enviado a la isla Lluvia Mágica. Sin ellas, el Reino de las Hadas no recuperaría los colores. Cristina y Raquel habían encontrado a Rubí, Ámbar, Azafrán, Hiedra, Celeste y Tinta. Ahora solo les faltaba encontrar a Violeta, el hada violeta. Raquel sintió que la cuerda de la cometa se había enredado. Al mirar hacia arriba, vio que algo violeta y plateado brillaba al final de la larga cola.

—Mira allá —gritó Raquel.

Cristina alzó la vista, protegiéndose del sol con la mano.

—¿Qué es eso? ¿Crees que sea un hada? —preguntó.

—No sé —respondió Raquel mientras recogía la cuerda.

Cuando la cometa bajó tambaleándose hacia ellas, Cristina vio que había una cinta color violeta atada a la cola. Entre las dos la desanudaron.

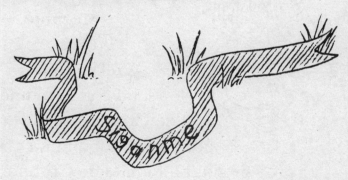

—Hay algo escrito en letras plateadas —dijo Raquel emocionada.

Cristina se acercó para ver mejor.

—Dice *síganme*.

De repente, el viento se llevó la cinta y la arrastró por el camino.

—Seguro nos lleva hacia Violeta —dijo Cristina.

Raquel guardó la cometa.

—Mamá, ¿podemos ir a explorar los alrededores por última vez? —preguntó.

La Sra. Walker conversaba con la mamá de Cristina en el patio de la cabaña La sirena. La familia de Cristina estaba hospedada justo al lado, en la cabaña El delfín.

—Por supuesto, siempre y cuando la
mamá de Cristina esté de acuerdo
—respondió la Sra. Walker.

—Sí, está bien —dijo la Sra. Tate—.
Pero no se vayan muy lejos. El barco
zarpa a las cuatro en punto.

—Tenemos que apurarnos —le susurró
Raquel a Cristina.

Las chicas corrieron a través de la suave y verde hierba, siguiendo la cinta que revoloteaba con la brisa.

De repente, la cinta desapareció detrás de un gran seto.

—¿Dónde estará? —preguntó Cristina.

FERIA DE VERANO

—Por aquí —dijo Raquel buscando
entre las ramas.

Cristina siguió a su amiga a través
del seto. Por suerte, las hojas no eran
muy espinosas. Del otro lado, las chicas
encontraron un camino y un portón con
un cartel que decía en letras moradas:
FERIA DE VERANO.

Raquel y Cristina pasaron a través del
portón y llegaron a un hermoso jardín. A
un lado se veían quioscos de algodón de

azúcar y helado. Había gente por todas partes hablando y riendo.

—¿No te parece maravilloso? —dijo Raquel mirando sorprendida a su alrededor.

Una señora que acompañaba a una niña que sostenía varios globos en la mano le sonrió.

De repente, Cristina notó que la cinta se dirigía hacia el tiovivo que estaba al final del jardín. Una vez allí, se enredó en el asta y se quedó bailando con la brisa como si fuera una pequeña bandera.

—Creo que nos está llevando hacia el
tiovivo —dijo Cristina, y agarró la mano
de su amiga.

Las chicas corrieron juntas a través del
jardín. El tiovivo eran tan lindo como
un castillo de hadas. Raquel miraba

maravillada los caballos de madera
suspendidos en sus postes dorados. ¡Eran
muy hermosos!

—¡Hola! —gritó una voz amigable
detrás de ellas—. Soy Tom Bueno. ¿Les
gusta mi tiovivo?

Raquel y Cristina se dieron la vuelta
y vieron a un señor de cabello blanco y
sonrisa amable.

—Sí, es precioso —dijo Raquel.

Cristina miraba los caballos de madera que subían y bajaban al ritmo de la música.

—Mira, Raquel —dijo Cristina emocionada—. Los caballos tienen los colores del arco iris. Hay uno rojo, uno anaranjado, uno amarillo, uno verde, uno azul, uno índigo y uno violeta.

Raquel se acercó un poco para ver mejor. A través de los caballos en movimiento pudo ver que el poste en el centro del tiovivo estaba decorado con dibujos de caballos que tenían los colores del arco iris y que galopaban a lo largo de una playa.

En ese momento, el tiovivo comenzó a detenerse y la música paró. El Sr. Tom Bueno se subió y ayudó a los niños a bajarse de los caballos.

—Todos a bordo para el próximo viaje —dijo.

Un grupo de niños entusiasmados comenzó a subirse a los caballos.

El Sr. Tom Bueno les sonrió a Raquel y a Cristina.

—¿Y ustedes? —preguntó mirándolas con sus brillantes ojos azules.

Un viaje mágico

—Nos encantaría montarnos en el tiovivo —dijo Cristina—. ¡Apúrate, Raquel! Solo quedan dos caballos libres.

Cristina se subió a uno de ellos. En la montura llevaba el nombre escrito en letras doradas.

—Mi caballo se llama Princesa Índigo —dijo Cristina tocando el caballo.

Raquel se montó en otro muy
hermoso que estaba al lado del
de Cristina. Tenía el pelaje
morado claro y su crin era
plateada.

—El mío se llama
Cabriola Violeta
—dijo.

—¡Agárrense
todos! —dijo
el Sr. Tom
Bueno.

La música
empezó y el
tiovivo comenzó a
dar vueltas. Cabriola
Violeta y Princesa
Índigo subían y bajaban
en sus postes.

Raquel reía a carcajadas
al sentir que iban cada vez más

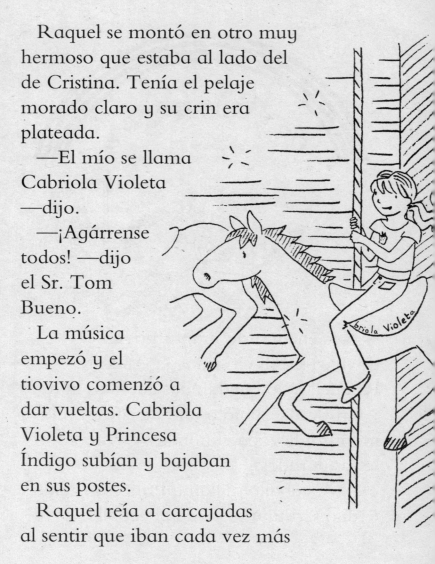

rápido. La feria pasaba velozmente ante sus ojos, y los senderos y las flores se convertían en una imagen borrosa. Luego, la música y las risas empezaron a desaparecer. El corazón de Raquel latía rápidamente. Ahora, lo único que podía ver era a Princesa Índigo, el caballo de Cristina. De repente, sintió que los cascos de Cabriola Violeta golpeaban el suelo. Cristina, por su parte, sintió que la brisa del mar acariciaba su cabello y que Princesa Índigo movía la cabeza y levantaba arena mientras galopaba.

—¡Vaya! —dijo Cristina saboreando la sal en sus labios—. Es como estar montada en un caballo de verdad.

—¡Es increíble! —dijo Raquel, que sentía como si estuviera cabalgando a lo largo de la playa, igual que en el dibujo que estaba en el poste del tiovivo.

Pero antes de que Raquel pudiera decir algo más, los caballos dejaron de galopar, la playa arenosa comenzó a desaparecer, se volvió a escuchar la música y el tiovivo se detuvo.

Cristina acarició el cuello de Princesa Índigo cuando se bajó.

—Gracias por este viaje tan especial —le susurró, y luego se dirigió a Raquel—. Definitivamente, este tiovivo es mágico. Pero ¿dónde estará Violeta, el hada violeta?

—No lo sé —dijo Raquel.

La chica se estaba desmontando de
Cabriola Violeta cuando escuchó una
risita. Se volteó, pero no vio a nadie, solo
el dibujo en el poste central del tiovivo.
Allí, sobre un caballo violeta, había un
hada cabalgando. Llevaba
puesto un vestido corto,
medias de color violeta
hasta las rodillas y unas
zapatillas de bailarina. Su
cabello estaba adornado
con florecitas.

—¡Cristina! —susurró Raquel
mientras señalaba el dibujo—. ¡Creo que
encontramos a Violeta, el hada violeta!

La séptima hada

Mientras el Sr. Tom Bueno ayudaba a los niños a bajarse de los caballos, Raquel y Cristina se acercaron rápidamente al poste del tiovivo.

—Violeta debe estar atrapada en el dibujo —dijo Raquel.

—Tenemos que sacarla de ahí —dijo Cristina.

—Sí —dijo Raquel—. Pero ¿qué vamos a hacer con toda esta gente que está alrededor?

En ese momento, como si las hubiera escuchado, el Sr. Tom Bueno llamó la

atención de los otros niños con unas palmaditas.

—Niños, síganme, los payasos están aquí —dijo.

Todos vitorearon mientras corrían a ver a los payasos.

Raquel y Cristina se quedaron solas en el tiovivo.

—Ahora es nuestra oportunidad —dijo Cristina.

A Raquel se le ocurrió una idea.

—Ya sé —dijo—. Vamos a buscar en nuestras bolsas mágicas.

Titania, la Reina de las Hadas, les había entregado a Raquel y Cristina unas bolsas con instrumentos mágicos que las ayudarían a rescatar a las hadas del arco iris.

—Claro. Aquí tengo la mía —dijo Cristina.

La chica metió la mano en el bolsillo y sacó la bolsa mágica, que brillaba con una tenue luz dorada. Cuando la abrió, una nube de chispitas flotó en el aire. Cristina metió la mano en la bolsa y sintió algo largo y delgado como un lápiz. Era una diminuta brocha dorada.

—¿Para qué servirá esto? —preguntó confundida—. No queremos pintar otros dibujos.

—Quizás Violeta sepa para qué nos puede servir —sugirió Raquel—.

Ámbar nos dijo cómo la podíamos ayudar cuando estaba atrapada en la caracola. ¿Te acuerdas?

—¡Buena idea! —dijo Cristina, pero cuando la chica se

inclinó hacia el poste, la punta de la
brocha tocó la mano del hada que estaba
en el dibujo.

De repente, el dibujo brilló
y los pequeños deditos
del hada se movieron.
Luego, un oloroso
pétalo violeta salió
flotando del dibujo.

—¡Mira! —dijo
Raquel sorprendida.

—La brocha es
mágica —susurró
Cristina.

La chica comenzó a
pasar la brocha sobre el
contorno del hada. Al principio
no sucedió nada, pero después el
dibujo se hizo aun más brillante.

—Eso me da cosquillas —dijo el hada
muerta de risa.

La brocha mágica estaba liberando a
Violeta del dibujo.

Raquel miró alrededor para asegurarse
de que nadie las estuviera mirando.
Cristina dio una última pincelada, y el
hada salió volando del dibujo con sus
alitas brillando como piedras preciosas.
El polvillo del hada violeta se dispersó
por todas partes, convirtiéndose luego en
olorosas florecitas violetas que flotaban en
el aire.

—Gracias por
rescatarme
—dijo el hada
revoloteando
frente a las chicas.
En su mano llevaba
una varita violeta con
la punta plateada—.
Soy Violeta, el hada

violeta. ¿Quiénes son ustedes? ¿Saben en dónde están mis hermanas del arco iris?

—Yo soy Raquel y ella es Cristina —dijo Raquel—. Tus hermanas están a salvo en la olla que está al final del arco iris.

—¡Hurra! —dijo el hada emocionada, y luego dio una voltereta en el aire, esparciendo chispitas violeta alrededor de las chicas—. Tengo muchas ganas de verlas.

Cristina estiró la mano y Violeta aterrizó en ella suavemente. La chica escondió al hada mientras recorrieron la feria. Dejaron atrás a las personas que miraban a los payasos, llegaron hasta la entrada y se fueron por el camino que llevaba al bosque.

Bien adentro en el bosque había un tranquilo claro con un sauce llorón a un lado. La olla al final del arco iris estaba escondida bajo las frondosas ramas del árbol.

Tan pronto Raquel y Cristina llegaron
al claro, escucharon un gran alboroto que
provenía de la olla. De repente, Tinta, el
hada índigo, apareció volando.

—Violeta, estás a salvo —gritó
Tinta—. Miren, Raquel y Cristina
encontraron a nuestra
hermana.

Las otras hadas del
arco iris salieron de la
olla inmediatamente.
Azafrán iba montada
en una abeja gigante.

En unos segundos, el aire se llenó de
burbujas, flores, hojas, estrellas, gotas de
tinta y pequeñas mariposas. Beltrán, la

rana, salió saltando de atrás de la olla.
Tenía una gran sonrisa en su cara verde.
Las hadas se acercaron a Violeta para
abrazarla y besarla, y el
polvillo de hada del
hada violeta se mezcló
con el de sus hermanas.

buzzzzzz

El claro se impregnó con el olor de las violetas.

—Sabíamos que vendrías —dijo Ámbar, el hada anaranjada, dando una voltereta en el aire—. He sentido algo muy especial esta mañana.

Raquel y Cristina se tomaron de las manos y bailaron en círculo. Lo habían logrado. ¡Habían encontrado a las siete hadas del arco iris!

—¿Y quién es ella? —le preguntó Violeta a Azafrán,

el hada amarilla, mientras acariciaba a la
abeja reina.

—Esta es Reinita —dijo Azafrán
besando la peluda cabecita de la abeja—.
Ella me ayudó a recuperar mi varita
cuando los duendes se la robaron.

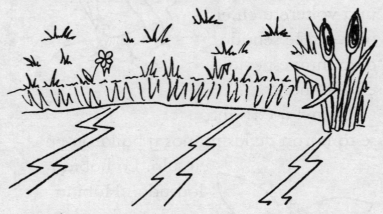

Las alas de Rubí, el hada roja,
resplandecían al posarse sobre el hombro
de Raquel.

—Raquel y Cristina, muchas gracias —dijo.

—Ustedes son unas verdaderas amigas —agregó Hiedra, el hada verde, aterrizando en la mano de Cristina—.  Y ahora que estamos reunidas otra vez, debemos usar nuestra magia para crear un arco iris que nos lleve de regreso al Reino de las Hadas.

De repente, Raquel escuchó un raro chasquido. Se dio la vuelta y vio que el estanque en el borde del claro ya no era azul. Era blanco y estaba cubierto de hielo. Raquel, Cristina y las hadas se miraron alarmadas.

—Los duendes —susurraron.

Celeste temblaba del miedo, así que voló hacia Ámbar y Reinita buscando protección.

Los pequeños dientes de Tinta no paraban de castañear.

—Pe-pe-pero no puede ser. El Hada de los Dulces los obligó a quedarse en el Reino de los Dulces para que recogieran gominolas —dijo.

En ese instante, se escuchó una risa malvada y socarrona. Las ramas del sauce se apartaron y apareció una figura huesuda justo en el medio del claro. Tenía carámbanos de hielo colgando de su ropa y escarcha en su cabello blanco y en las cejas.

¡Era Jack Escarcha!

El hechizo de las hadas

—Así que han logrado reunirse
nuevamente —dijo Jack Escarcha
soltando una carcajada malvada. Su voz
sonaba tan fría como el hielo.

—Sí, gracias a Raquel y a Cristina
—dijo Rubí valientemente—. Y ahora
queremos regresar a nuestro hogar en el
Reino de las Hadas.

Jack Escarcha soltó otra carcajada escalofriante.

—Nunca lo voy a permitir —dijo.

Pero antes de que se pusiera en acción, Rubí, el hada roja, revoloteó en el aire.

—Vamos, hadas del arco iris —dijo—, nuestra magia ha regresado ahora que estamos juntas. Esta vez debemos detener a Jack Escarcha. ¡Síganme!

De inmediato, Tinta voló al lado de su hermana y se puso frente a Jack Escarcha con actitud desafiante. Las otras hadas se acercaron a ellas y juntas levantaron sus varitas y lanzaron un hechizo:

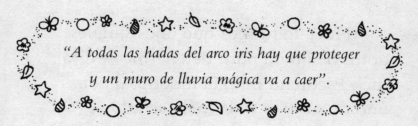

"A todas las hadas del arco iris hay que proteger
y un muro de lluvia mágica va a caer".

Cristina apretó la mano de Raquel.
¿Funcionaría el hechizo?

Una lluvia de colores salió de cada
varita creando un brillante muro de
gotas de lluvia. Parecía una cascada que
separaba a Jack Escarcha de las hadas.

Raquel y Cristina estaban sorprendidas.

—Hace falta más que unas simples gotas de lluvia para detenerme —dijo Jack Escarcha muy enfadado, y con uno de sus dedos de hielo señaló el resplandeciente muro de lluvia.

De inmediato, las gotas se convirtieron en hielo, cayeron sobre la helada hierba

como si fueran cuentas de vidrio y se rompieron en pedazos.

Las hadas estaban horrorizadas. Azafrán y Celeste gritaron desconsoladas y Tinta apretó los puños. Hiedra, Ámbar y Rubí se abrazaron fuertemente, pero Violeta se quedó suspendida en el aire, pensando.

Raquel y Cristina se miraron alarmadas mientras Jack Escarcha levantaba su mano nuevamente.

En ese instante, Violeta se puso al frente de sus hermanas, movió su varita y gritó:

"En una burbuja mágica
voy a envolver
a Jack Escarcha y todo su poder".

De la varita de Violeta salió una burbuja brillante que se hizo cada vez más grande. Parecía hecha de cristal morado claro. Jack Escarcha comenzó a reírse y extendió sus gélidos dedos. Pero antes de que pudiera hacer

nada, se escuchó una efervescencia y
Jack Escarcha desapareció.

Raquel no lo podía creer.

El hechizo de Violeta había atrapado
a Jack Escarcha en una burbuja que
flotaba de un lado a otro y bajaba
lentamente hacia la hierba. Jack Escarcha

parecía muy molesto y presionaba
furiosamente sus manos contra
la resplandeciente burbuja.

—¡Bien hecho, Violeta! —dijo Hiedra.

—¡Rápido, hermanas! Debemos
meternos dentro de la olla y crear un
arco iris que nos lleve de regreso al
Reino de las Hadas —dijo Violeta—.

Jack Escarcha puede escapar en
cualquier momento.

Raquel y Cristina
hicieron a un lado las
ramas del sauce para
que las hadas pudieran
volar sin problemas.

Violeta se sorprendió al
ver que una ardilla bajaba
por el sauce llorón y se dirigía hacia la
olla.

—¿Quién es? —preguntó Violeta.

—Es Peludín —dijo Hiedra
acariciando a la ardilla—. Él me ayudó
a escapar de los duendes.

—Peludín y Reinita tendrán que
regresar a sus casas —dijo Celeste
tristemente.

—¿No pueden ir con ustedes al Reino
de las Hadas? —preguntó Raquel.

—No, sus hogares están aquí, en la isla Lluvia Mágica —explicó Hiedra—. Pero vendremos a visitarlos, ¿verdad?

Las hadas asintieron y Azafrán se secó una pequeña lágrima de los ojos.

Hiedra se acercó a Peludín y le dio un último abrazo. Sus hermanas volaban

alrededor despidiéndose de Reinita y de
Peludín.

—Gracias nuevamente por ayudarnos
—dijo Rubí.

Reinita zumbó un adiós mientras se
alejaba volando. Peludín se despidió con
un coletazo y se fue correteando.

Violeta revoloteaba en frente de
Raquel y Cristina.

—¿Les gustaría venir
al Reino de las Hadas
con nosotras? Estoy
segura de que la reina
Titania y el rey
Oberón querrán
darles las gracias
—dijo.

Raquel y
Cristina asintieron
emocionadas.
Violeta sonrió,

movió su varita y una lluvia de polvillo
violeta cubrió a las chicas.

Cristina sintió que se estaba enco-
giendo. Le parecía que la hierba era
cada vez más grande.

—¡Hurra! Soy un hada otra vez
—gritó.

Raquel reía al
sentir que unas alas
salían de sus hombros.

En ese momento, se
escuchó un grito que
venía de la burbuja
gigante.

Raquel y Cristina
se dieron la vuelta.
Jack Escarcha
parecía muy asustado.
Tenía la cara roja y
gotas de agua se deslizaban

por sus mejillas. ¡Se estaba derritiendo!

—Bueno, ya no podrá detenerlas en su viaje de regreso al Reino de las Hadas —dijo Cristina.

Pero Celeste no pareció alegrarse, más bien se veía triste.

—Pero sin Jack Escarcha faltará una estación —señaló el hada—. Necesitamos su frío y su hielo para que exista el invierno.

—¿Nada de invierno? —dijo Tinta horrorizada—. Pero a mí me encanta deslizarme por la nieve en trineo y patinar en el río congelado.

45

—Y sin invierno, ¿cuándo tendremos la primavera? —dijo Ámbar—. ¿Qué sucederá con todas las hermosas florecitas de primavera?

—Y las abejas necesitan de las flores para producir miel en el verano —dijo Azafrán tristemente.

—Y después del verano, viene el otoño. Es la época en que las ardillas buscan nueces para la hibernación —dijo Hiedra.

—¡Necesitamos todas las estaciones! —dijo Celeste—. Si dejamos a Jack Escarcha en esa burbuja…

Las hadas parecían confundidas hasta que Violeta tomó la palabra.

—Me siento mal por Jack Escarcha. Parece que está muy asustado —dijo.

—Violeta tiene razón. Tenemos que hacer algo —dijo Rubí.

—Pero él podría lanzarles otro hechizo —dijo Cristina.

—Aunque eso suceda, debemos ayudarlo, ¿cierto? —dijo Ámbar muy decidida.

Las otras hadas del arco iris asintieron.

Cristina se sintió orgullosa de sus amigas. Las hadas eran muy amables y valientes.

—Ya sé lo que vamos a hacer
—dijo Celeste mientras volaba hacia la
burbuja gigante.

El hada parecía un poco nerviosa al
estar tan cerca de Jack Escarcha, pero
entonces susurró un hechizo tan bajito
que ni Raquel ni Cristina pudieron oír lo
que decía.

Un chorro de polvillo azul salió
disparado de la varita de Celeste hacia
el interior de la burbuja. El polvillo se
arremolinó en una espiral que creció
y creció hasta llenar la burbuja
completamente.

Raquel y Cristina se
acercaron volando para ver
lo que sucedía.

El polvillo de hada se
había convertido en
grandes copos de

nieve de cristal, que al deslizarse por la
cara de Jack Escarcha se convertían en
pequeñas gotas de hielo. ¡Había dejado
de derretirse!

El remolino de nieve no paraba
de girar en círculo alrededor de Jack
Escarcha.

—¡Mira! Se está haciendo cada vez
más pequeño —dijo Cristina sorprendida.

La chica tenía razón. Primero, Jack
Escarcha era más pequeño que un
duende. Luego, más pequeño que
una ardilla y, por fin, más pequeño
que Reinita, la abeja. Todos miraban

sorprendidos a la burbuja y a Celeste.
¿Qué iba a suceder ahora?

¡PUM!

La burbuja se reventó, el viento
se detuvo y la nieve desapareció.
Al principio, Cristina pensó que
Jack Escarcha había desaparecido
completamente. Luego, vio que había
un globo de vidrio muy pequeño en la
hierba. Adentro del globo, una personita
daba vueltas de mal humor.

—Es un globo de nieve —dijo Cristina
asombrada—. Y Jack Escarcha está
atrapado adentro.

Hagamos un arco iris

—¡Viva Celeste! —gritó Raquel—.
Ahora, Jack Escarcha no podrá hacernos
daño y lo podremos llevar al Reino de
las Hadas sin problema.

Raquel voló hacia el globo de nieve
y lo recogió. Se sentía frío y saltaba en
su mano cada vez que Jack Escarcha se
movía de un lado a otro.

Beltrán se acercó dando saltitos hasta Raquel.

—Yo me encargaré de esto, Srta. Raquel —dijo.

Raquel estaba feliz de entregarle el globo de nieve a Beltrán. No le gustaba estar tan cerca de Jack Escarcha.

—¡Todos a meterse dentro de la olla! —gritó Tinta—. ¡Es hora de regresar al Reino de las Hadas!

—¡Bravo! —gritó Ámbar, y luego dio una voltereta en el aire.

Violeta movió su varita y la olla dio una vuelta y quedó parada sobre sus cuatro patitas.

Raquel, Cristina y todas las hadas volaron hacia dentro. Beltrán saltó y se metió en la olla después

de ellas. Estaban un poco apretados,
pero Raquel y Cristina estaban tan
emocionadas que no les importaba.

—¿Listas? —preguntó Rubí.

Sus hermanas asintieron muy serias.
Las siete hadas del arco iris alzaron
sus varitas. Por encima de ellas se creó
un destello que brillaba como fuegos
artificiales pero con los colores del arco

iris. Después, una fuente de chispitas
llenó la olla de bellos colores: rojo,
anaranjado, amarillo, verde, azul, índigo
y violeta.

El arco iris más brillante que Raquel
y Cristina habían visto salió de la olla
hacia el despejado cielo azul.

De repente, Beltrán y las hadas salieron
disparados de la olla montados sobre
el arco iris que se movía como una ola
gigante. Raquel y Cristina se sentían

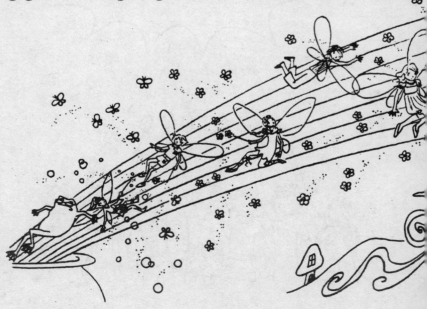

transportadas. Flores, estrellas, hojas, maripositas, gotas de tinta y burbujas de polvillo de hada aparecían y se reventaban a su alrededor.

—Esto es maravilloso —gritó Raquel.

A lo lejos, las chicas podían ver unas montañas salpicadas con casas de hongos. ¡Era el Reino de las Hadas! También había un río serpenteante y un palacio real con cuatro torres puntiagudas.

Un segundo después, el arco iris se desvaneció en un destello de polvillo de hadas. Cristina y Raquel movieron sus alitas y aterrizaron suavemente en la hierba. Raquel miró alrededor esperando

ver los colores del arco
iris de regreso en
el Reino de
las Hadas.
Pero las
montañas y las
casas de hongos
seguían siendo
grises.

—¿Por qué no
han vuelto los colores?
—preguntó Raquel
sorprendida.

Cristina se encogió de hombros.
No podía hablar de la preocupación.

Las hadas aterrizaron suavemente al
lado de las chicas.

Cristina notó que cada pedazo de
hierba gris donde aterrizaba un hada
cambiaba a un color verde intenso que se
expandía rápidamente.

—Raquel, mira —gritó Cristina—. La hierba se está poniendo verde.

—¡Ay, sí! —dijo Raquel sin poder creer lo que veía.

Las hadas del arco iris se pararon en círculo y levantaron sus varitas.

Un manantial de chispitas de colores se disparó hacia las esponjosas nubes blancas, luego hubo un relámpago dorado y comenzó a llover.

Raquel y Cristina miraban emocionadas las brillantes gotas de lluvia de todos los colores del arco iris que caían suavemente alrededor de ellas. Y en donde caían las gotas, el color aparecía y se expandía como una pintura brillante a través de todo el Reino de las Hadas.

Las casas de hongos resplandecían de rojo y blanco. Flores anaranjadas, amarillas y violetas adornaban las verdes montañas. El río azul claro brillaba.

En lo alto de la montaña, el palacio
de las hadas brillaba con un fuerte color
rosado. De repente, se escuchó una
música que salía del palacio y las puertas
del mismo se abrieron lentamente.

Rubí voló hacia Raquel y Cristina.
—¡Rápido! —dijo—. El Rey y la
Reina nos están esperando.

Raquel y Cristina volaron con las
siete hadas hacia el palacio. Beltrán las

acompañaba dando grandes saltos en la hierba.

Las hadas sonreían mientras elfos, gnomos y otras hadas salían del palacio y bailaban a su alrededor.

—¡Vivan las hadas del arco iris! —vitoreaban todos—. ¡Vivan Raquel y Cristina!

Después salieron la reina Titania y el rey Oberón. La Reina llevaba un vestido plateado y una tiara de diamantes. El Rey llevaba una túnica dorada y una corona de oro.

—Bienvenidas a casa, queridas hadas. Las hemos extrañado mucho —dijo Titania—. Muchísimas gracias, Raquel y Cristina.

Beltrán saludó a los reyes con una gran reverencia.

—Esto es para usted, su Majestad —dijo Beltrán entregándole el globo de nieve a Oberón.

—Gracias, Beltrán. —El Rey tomó el globo con ambas manos y observó lo que había dentro. Entonces dijo—: Jack Escarcha, si te libero, ¿prometes permanecer en tu castillo de hielo y no volver a hacerles daño a las hadas del arco iris?

—Recuerda que el invierno todavía te pertenece —le recordó Titania a Jack Escarcha.

Adentro del globo de nieve, Jack Escarcha acariciaba

su puntiaguda
barbilla.

—Está bien
—dijo—, pero con
una condición.

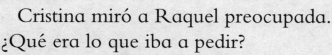

—¿Y cuál es esa
condición? —preguntó
Oberón.

Cristina miró a Raquel preocupada.
¿Qué era lo que iba a pedir?

—Que me inviten al próximo Baile de
Verano —dijo Jack Escarcha.

—Serás muy bienvenido —dijo Titania
sonriendo.

Oberón le dio un golpecito al globo
de nieve y este se rompió por la mitad.
Jack Escarcha salió de un salto y regresó
a su tamaño normal. La nieve brillaba
en su blanco cabello. Movió sus dedos
y un trineo de hielo apareció junto a

él. Se metió adentro de una vez y se fue volando a toda velocidad hacia el cielo.

Todas las hadas se despidieron de él.

—Adiós. Te veremos el próximo año en el Baile de Verano —dijo Celeste.

Jack miró hacia atrás. Una sonrisa se dibujó en su rostro y luego desapareció.

Un regalo muy especial

El Rey y la Reina de las hadas les sonreían afectuosamente a Raquel y Cristina.

—Gracias, estimadas amigas —dijo Oberón—. Sin ustedes nunca se hubiera roto el hechizo de Jack Escarcha.

—Siempre serán bienvenidas en el Reino de las Hadas —dijo Titania—. Y a

donde quiera que vayan habrá magia.
La magia siempre las va a encontrar.

Las hadas del arco iris se acercaron
revoloteando para despedirse de las
chicas. Raquel y Cristina abrazaron a
cada una de ellas. Se sentían un poco
tristes porque iban a extrañar mucho a
sus nuevas amigas.

Beltrán se acercó saltando y les dio la
mano.

—Adiós, Srta. Raquel y Srta. Cristina.
Fue un placer conocerlas —dijo.

—Y ahora, un arco iris especial las
llevará de regreso a casa —dijo Violeta.

Las hadas del arco iris alzaron sus varitas una vez más. Un enorme arco iris
apareció y se extendió hasta la isla
Lluvia Mágica.

—¡Aquí vamos! —gritó
Raquel al sentir que
los brillantes colores la
transportaban.

—Me encanta viajar
en arco iris —gritó
Cristina.

En poco tiempo, el
Reino de las Hadas
quedó atrás y, un
rato después, las chicas
aterrizaron suavemente en el
patio de la cabaña La sirena.

—Ya regresamos a nuestro tamaño normal —dijo Raquel mientras se ponía de pie.

—Y llegamos a tiempo —agregó Cristina mientras corrían hacia la cabaña El delfín.

—Es triste que nuestras aventuras con las hadas se hayan terminado, ¿verdad? —dijo Raquel tristemente.

Cristina asintió.

—Pero recuerda que Titania dijo que la magia nos encontraría de ahora en adelante.

—Ahí están —dijo la mamá de Raquel al ver que las chicas se acercaban—. ¿Vieron ese hermoso arco iris? Y ni siquiera estaba lloviendo. La isla Lluvia Mágica es definitivamente un lugar muy especial.

Cristina y Raquel sonrieron.

—El equipaje ya está en el auto —dijo la mamá de Cristina—. Revisen si dejaron algo en sus habitaciones.

Cristina subió corriendo a su habitación en la cabaña El delfín.

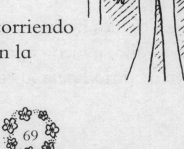

—También voy a revisar mi habitación —dijo Raquel.

La chica corrió apresuradamente hasta su pequeña habitación en el ático de la cabaña La sirena. Al llegar, se detuvo en la puerta.

—¡Ay! —dijo sorprendida.

En medio de la cama, algo brillaba y resplandecía como si fuera un gran diamante.

Raquel se acercó.

Era un globo de nieve lleno de polvillo de hadas de diferentes formas y con los colores del arco iris.

—Es lo más hermoso que he visto en mi vida —dijo, y luego agarró el globo de nieve y corrió hacia la cabaña de Cristina.

En ese momento, Cristina bajaba las
escaleras corriendo. Llevaba en las manos
un globo de nieve igualito al de Raquel.

—Lo voy a guardar para siempre
—dijo Cristina.

—Cada vez que sacuda el globo de
nieve o cuando vea un arco iris, voy a
acordarme de ti, del Reino de las
Hadas y de las hadas del arco iris —dijo
Raquel.

—Yo también —dijo Cristina—. Nunca olvidaremos a nuestras amigas.

—No, no lo haremos —dijo Raquel—.
Jamás.